De mi papá

por Dona R. McDuff ilustrado por **Rita Lascaro**

Scott Foresman

Oficinas editoriales: Glenview, Illinois • New York, New York
Ventes: Reading, Massachusetts • Duluth, Georgia
Glenview, Illinois • Carrollton, Texas • Menlo Park, California

Me gusta mi camiseta.
Me la dio mi papá.
Me la dio en los jardines.

Yo tenía cinco años.
Y era pequeña.

Usaba mi camiseta en el columpio.
Yo era pequeña.
La camiseta se veía grande.

La usaba en la playa.
Yo era pequeña.
La camiseta se veía grande.

¡También la usaba en la cama!
Yo era pequeña.
La camiseta se veía grande.

Luego cumplí 6 años.
Ya era más grande.
La camiseta se veía más pequeña.

La usaba en mi bicicleta.
Se veía perfecta.

La usaba para la escuela.
Se veía perfecta.

¡Y la usaba en los jardines!
Se veía perfecta.

Hoy tengo siete años.
Soy más grande.
La camiseta se ve muy pequeña.

Hoy me dieron otra camiseta.
Me la dio mi papá.

—Me gusta más la vieja
—dije—.
No quiero otra camiseta.

—Es muy pequeña —dijo papá—.
¿Por qué no la regalas?
—¡No quiero! —contesté.

Pero a mi oso le va a gustar.
Está tan contento.
¡Hoy dio una voltereta!